荣寶齋畫譜

山 水 画 稿 部 分

黄 宾 虹 绘

荣寶齋出版社
北京

图书在版编目（CIP）数据

荣宝斋画谱．210，山水画稿部分．黄宾虹／黄宾虹绘．－北京：荣宝斋出版社，2014.2（2017.8重印）
ISBN 978－7－5003－1451－6

Ⅰ．①荣… Ⅱ．①黄… Ⅲ．①山水画－作品集－中国－现代 Ⅳ．①J212

中国版本图书馆CIP数据核字(2013)第315787号

RONGBAOZHAI HUAPU (210) SHANSHUI HUAGAO BUFEN
荣宝斋画谱 （210） 山水画稿部分

作　　　者：黄宾虹
编辑出版发行：荣寶斋出版社
地　　　址：北京市西城区琉璃厂西街19号
邮 政 编 码：100052
制　　　版：北京燕泰美术制版印刷有限责任公司
印　　　刷：北京荣宝燕泰印务有限公司

开本：787毫米×1092毫米　1/8　印张：6
版次：2014年2月第1版　印次：2017年8月第2次印刷
印数：3001－5000　定价：48.00元

榮寶齋畫譜題詞

畫譜的刊行，我們拍掌歡迎。近代作畫的不讀芥子園畫譜是例外，好像作詩詞的不讀唐詩三百首和白香詞譜是例外一樣。古人說：不以規矩不能成方圓，這話講出了真理。就是我們搞任何學問要老老實實先搞基本訓練，便宜去捷徑是不能成為大器的。榮寶齋畫譜保留了中國歷代畫家的傳統，又照顧到各時代的流派，且着重具有生活氣息，而製表作者又係現代名手，可以肯定說他的水平大大超過舊譜以上，值得歡迎，值得介紹。祝譜學新生，祝畫學大發展！

陳毅

一九六二年一月

黄宾虹（一八六五—一九五五）名质，原名懋质，字朴存、朴人，亦作朴丞、劈琴，号宾虹，别署予向、虹叟、黄山山中人等。原籍安徽歙县，出生于浙江金华。幼喜绘画、篆刻。一八八七年赴扬州，从郑珊学山水，从陈崇光学花鸟。

一九〇七年后居上海，主要在报社、书局任职，从事新闻与美术编辑工作，后转做教育工作，先后任上海各艺术学校的教授。一九三七年迁居北平，被聘为故宫古物鉴定委员，兼任国画研究院导师及北平艺专教授。一九四八年返杭州，任国立杭州艺专教授。晚年任中国美术家协会华东分会副主席，中国美术家协会理事等。擅长山水、花卉，并注重写生，但成名相对较晚。

其著作有：《黄山画家源流考》《虹庐画谈》《古画微》《画学编》《金石书画编》《画法要旨》等。

序

王中秀

黄宾虹云：『自《芥子园画谱》一出，士夫之能画者日多；亦自有《芥子园画谱》出，而中国画家之矩矱，与历来师徒授受之精心，渐即澌灭而无余。』（《宾虹画语》）这里，作为习画范本的画谱之利弊被他一言道尽。画谱以其价廉而收普及画学之功，但有一利亦有一弊：它与真迹总隔一层，真迹微茫处，经过印刷，会失去不少，习画者往往得其形似而难稽笔墨之神。

那么，如何弥补这一缺憾呢？

我想，最简易的办法是预先了解作者的用笔用墨法。黄宾虹用笔有五笔法：平、圆、留、重、变；用墨有七墨法：浓、淡、破、泼、宿、焦、渍。或加积墨法。

限于篇幅，我们这里不对它们作具体分析，只就初学者需要知道、必须知道的要领做一阐述。

我们知道，黄宾虹主张用锋、用水。

先说用锋。黄宾虹说：『画源书法，言画法者，先明书法。』书法要笔笔分明就要用锋。

如何用锋，涉及运笔。黄宾虹主张顺逆并用，所谓『八面出锋』之谓。

黄宾虹对清代包世臣的《艺舟双楫》十分推崇，说是《艺舟双楫》一出，画法尽泄。黄宾虹所以推崇这本书，就在于它有关于逆锋运笔的阐述。这种用笔如用刀刻石，刀锋在前，刀身在后。施之笔，运笔锋在前，笔杆朝反方向。这种用笔又称碑学用笔，与帖学用笔恰成反对。

为什么学黄宾虹形似易得，神似难求，就在于学者纯粹用顺笔。

何谓顺笔？我们平常写字，绝大多数人用的是顺笔，笔杆与运笔同一个方向。顺笔易控制，逆笔难把握，顺笔多婀娜，逆笔笔刚健。所以，习画者学习前先得读画，观其顺逆用笔之转换，方不至于面对画稿，迷惑不解。

以上说线，下面说点。

黄宾虹说：前人观画先看点，从点能看出画家的功底来。

今天习画者，甚至不少画家，往往对点掉以轻心。实际上，点很重要。古人有『画龙点睛』之说，于画亦然，一幅画，往往因点而精神焕发。黄宾虹画中的点就有这种『点睛』之妙，整幅画赖以夺目。细观黄宾虹画中之点，其形态精神都有古人点的影子。点有各类，除渍墨点，哪怕一小点，都要有锋、有腰、有笔根。黄宾虹说：『一点之中，下笔时必含转折之势。』绝不是不分青红皂白，胡乱点下了事。俗云：观画远看气韵，近看笔墨。笔墨者，一点一画之谓。这是初学者必须知道的，虽然未必一时就做到，但日久功夫深，必当见效。

再说用水。黄宾虹有蘸水法一说：『古人书画，墨色灵活，浓不凝滞，淡不浮薄，亦自有术。其法先以笔蘸浓墨，墨倘过丰，宜于砚台略为揩拭，然后将笔略蘸清水，则作书作画，墨色自然滋润灵活。纵有水墨旁沁，终见行笔之迹，与世称肥钝墨猪有别。』

李可染先生说，宾翁画画不用笔洗。他不洗笔，不像我们有些人画完笔洗里的水墨黑墨黑的。他就是以笔蘸水，笔里墨不尽不蘸墨。

这也是初学者难以做得到，但必须知道的。

还有一点也是习画者必须知道的：黄宾虹这里的画稿都是他日课练笔所致，不是提供作临本之用的。有时他也把这类画稿寄给学生，可以称作『课徒稿』，但和有些老画师课徒叫学生临他自己的画稿不一样，他不许学生临它们，他只是叫学生读，领会他是如何学习古人的。

希望本画谱的读者理解我上述的这些话，多读，多读，还是多读。

是为序。

王中秀于癸巳深秋

目录

山水画稿一

山水画稿三

山水画稿二

山水画稿四

山水画稿五

山水画稿七

山水画稿六

山水画稿八

山水画稿九

山水画稿十

山水画稿十一

山水画稿十二

山水画稿十三

山水画稿十四

山水画稿十五

山水画稿十六

山水画稿十七

山水画稿十八

山水画稿十九

山水画稿二十

山水画稿二十一

山水画稿二十二

山水画稿二十三

山水画稿二十四

山水画稿二十五

山水画稿二十六

山水画稿二十七

山水画稿二十八

山水画稿二十九

山水画稿二十

山水画稿三十一

山水册之一

山水册之二

山水册之三

山水册之四

山水册之五

山水册之六

山水册之七

山水册之八

山水

山水

仿古山水之一

仿古山水之二

明画括硬蕚
玄宰师北苑
以潭屋兼深
出之而啟禎
特盛 宾虹

仿古山水之三

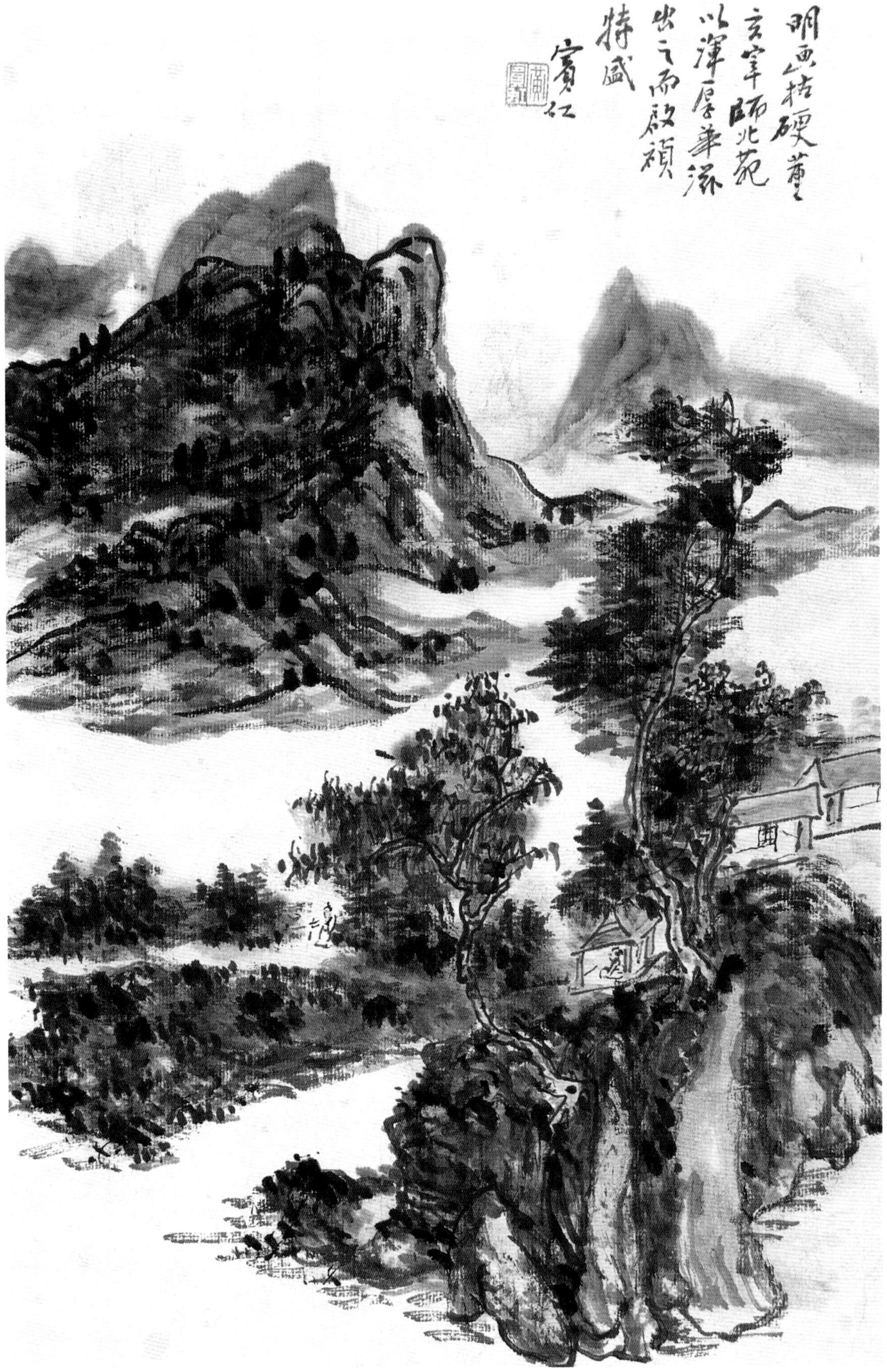

仿古山水之四

仿古山水之五

仿古山水之六

仿古山水之七

仿古山水之八

仿古山水之九

仿古山水之十